Sur la planète du prince Sky

Novélisation : Sophie Marvaud
Conception graphique du roman : François Hacker

Hachette Livre, 43, quai de Grenelle, 75015 Paris.

Sur la planète du prince Sky

HACHETTE

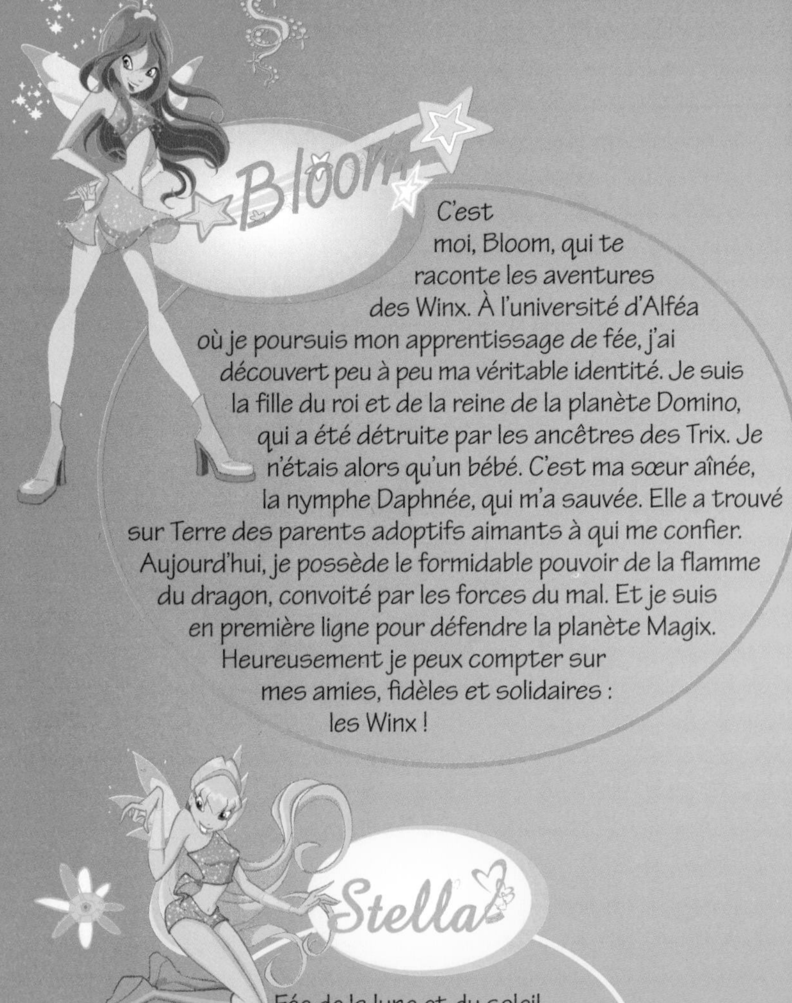

C'est moi, Bloom, qui te raconte les aventures des Winx. À l'université d'Alféa où je poursuis mon apprentissage de fée, j'ai découvert peu à peu ma véritable identité. Je suis la fille du roi et de la reine de la planète Domino, qui a été détruite par les ancêtres des Trix. Je n'étais alors qu'un bébé. C'est ma sœur aînée, la nymphe Daphnée, qui m'a sauvée. Elle a trouvé sur Terre des parents adoptifs aimants à qui me confier. Aujourd'hui, je possède le formidable pouvoir de la flamme du dragon, convoité par les forces du mal. Et je suis en première ligne pour défendre la planète Magix. Heureusement je peux compter sur mes amies, fidèles et solidaires : les Winx !

Stella

Fée de la lune et du soleil, elle a une très grande confiance en elle. Un peu trop, parfois ! Mais elle est aussi courageuse que vive et drôle.

Flora

Fée de la nature,
douce et généreuse,
elle est à l'écoute des
plantes et elle sait
leur parler. Cela nous sort
de nombreux mauvais
pas !

Tecna

Sous son apparence
directe et un peu punk, elle
cache une grande débrouillar-
dise. Normal, elle est la fée
des sciences et des
inventions !

Musa

Fée de la musique,
orpheline, elle possède une
grande sensibilité. Face au
danger, pourtant, elle n'hésite
pas à utiliser la musique
comme une arme !

Piff

Les mini-fées sont de minuscules créatures magiques qui ont pour mission d'aider les fées à remplir leurs devoirs. Lorsqu'une fée et une mini-fée deviennent inséparables, on dit qu'elles forment une connexion parfaite. Chaque Winx est impatiente de trouver la mini-fée qui lui correspond !

Les mini-fées sont sous la protection de leur grande amie fée : Layla. Pour échapper à ses ennemis, celle-ci devient une nouvelle élève d'Alféa. Pourra-t-elle s'intégrer au groupe des Winx ?

L'université des fées est dirigée par l'adorable Mme Faragonda. Celle-ci en sait souvent bien plus long qu'elle ne veut nous le dire.

Au royaume de Magix,
un lieu hors du temps et de l'espace,
la magie est quelque chose de
normal. En plus d'Alféa, deux écoles
s'y trouvent : la Fontaine Rouge et
la Tour Nuage. Les Spécialistes
fréquentent l'école de la Fontaine
Rouge. Ah ! les garçons...
Nous craquons pour eux parce qu'ils
sont charmants, généreux,
dynamiques... Mais ils se disputent
tout le temps. Dur pour eux
de former une équipe aussi
solidaire que la nôtre.

Prince Sky, héritier du royaume d'Héraklion, avait échangé son identité avec celle de son plus fidèle ami : Brandon. Ainsi a-t-il pu échapper à ses ennemis. Bon et courageux, il a su toucher mon cœur…

Brandon, celui que l'on prenait auparavant pour Prince Sky, est aussi charmant que dynamique. Pas étonnant que Stella craque pour lui !

Riven n'a vraiment pas un caractère facile ! Mais son côté romantique ne laisse pas indifférent certaines jeunes fées et sorcières…

Timmy, plein d'astuce et d'humour, intéresse fort Tecna. N'aurait-il pas quelques défauts lui aussi ? Est-il vraiment aussi courageux que ses amis ?

Convoité par les forces du mal,
Magix est le lieu d'affrontements
terribles.

Le Phoenix est le plus puissant de nos ennemis. Squelette dissimulé dans une armure, ou bien oiseau de feu, il change d'apparence à volonté. Mais qui est-il exactement ? Et que cherche-t-il ?

Sous les ordres du Phoenix, l'armée des ténèbres est composée d'un grand nombre de créatures monstrueuses et malfaisantes.

Associées au Phoenix, trois sœurs sorcières forment un groupe uni et redoutable : les Trix. Obsédées par leur recherche insatiable de pouvoirs magiques, elles sont prêtes à tout pour anéantir les Winx !

Icy, qui est à la fois l'aînée des Trix et leur chef, a pour armes préférées les cristaux de glace, le blizzard, les icebergs.

Stormy sait déclencher tornades et tempêtes.

Darcy utilise des sortilèges mentaux : elle crée des illusions de toutes sortes qui peuvent rendre fou.

Mme Griffin est la directrice de la Tour Nuage, l'école des sorcières. Mme Faragonda semble lui faire confiance. Mais je me demande si ce n'est pas une erreur...

Résumé des épisodes précédents

J'avais été très jalouse de découvrir que Sky avait été fiancé à la princesse Diaspro ! Mais c'était avant qu'il ne me rencontre. Et depuis, il m'a assuré que c'est moi qu'il aime…

Bientôt, il doit m'emmener sur la planète d'où il vient et me présenter à ses parents ! Pourvu que je leur plaise…

Chapitre 1

Ce que Bloom ne sait pas

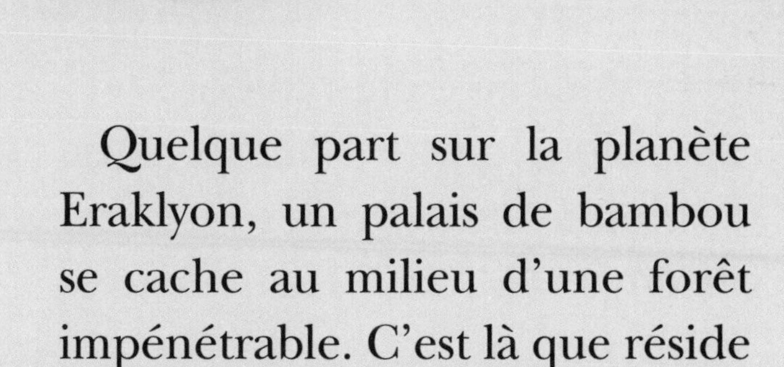

Quelque part sur la planète Eraklyon, un palais de bambou se cache au milieu d'une forêt impénétrable. C'est là que réside le cruel seigneur Yoshinoya.

En ce moment, accroupi derrière sa table laquée, il est très occupé à savourer des boulettes de soja, qu'il attrape avec des baguettes.

Mais son serviteur introduit des visiteurs : des guerriers très musclés, dont le visage est dissimulé par un masque de métal...

— Monseigneur, dit leur chef, on a la fille !

— Vous avez été rapides !

— Nous avons confié cette mission à vos nouvelles recrues : les ninjas faucons. Ils ont été très efficaces.

— Ah, ah ! s'esclaffe Yoshinoya. C'est pour cela qu'ils méritent leur nom !

Mais le chef des ninjas n'ose pourtant pas encore se réjouir...

— Monseigneur, nous prévoyons des complications. Il se pourrait que le prince Sky vienne au secours de la fille !

— Eh bien, vos ninjas faucons

surveilleront le prince jusqu'à ce que la rançon soit payée ! Et ils l'empêcheront d'agir.

Le chef des guerriers s'incline.

Pendant ce temps, dans un endroit encore plus secret de la même planète, une jeune fille blonde est retenue prisonnière. Elle tire furieusement sur ses chaînes mais celles-ci sont très solides.

Soudain, elle pousse un cri d'effroi. Un énorme chien couvert de longs poils vient d'entrer dans sa geôle.

— Prince Sky ! hurle-t-elle d'une voix suraiguë. Au secours !

Un bruit de pas se fait alors entendre dans le souterrain qui mène à la cellule. Pleine d'espoir, la jeune fille se redresse :

— C'est vous, Prince Sky ?

Hélas ! Il s'agit en fait de guerriers ninjas. Mais ceux-ci ne portent pas de casque. Ils sont vêtus d'une cape bleue et d'une combinaison moulante rouge avec un grand symbole fluorescent sur la poitrine.

Leur chef est un grand jeune homme appelé Ben. Il est assisté d'un gamin chevelu, d'une guerrière qui brandit son rouge à lèvres... et du gros chien poilu !

— Le prince Sky ne te trouvera pas, ici, Princesse ! Tu es trop bien cachée.

La princesse blonde se redresse :

— Qui êtes-vous ?

— Assez de bavardages ! Une nouvelle mission nous attend !

Et dans un grand mouvement de leur cape, ils disparaissent déjà, en courant dans le souterrain !

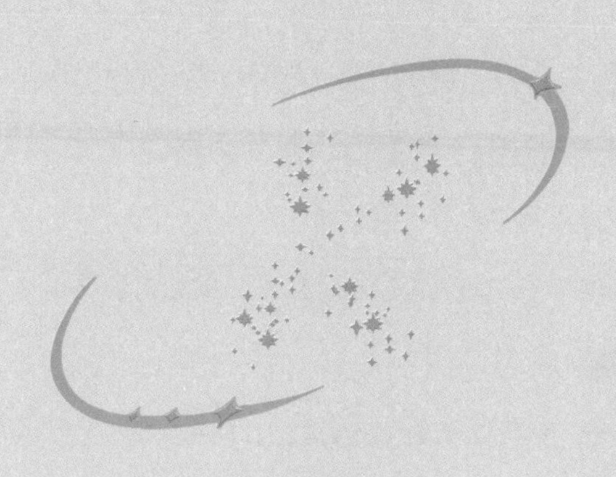

Chapitre 2

Suis-je vraiment une princesse ?

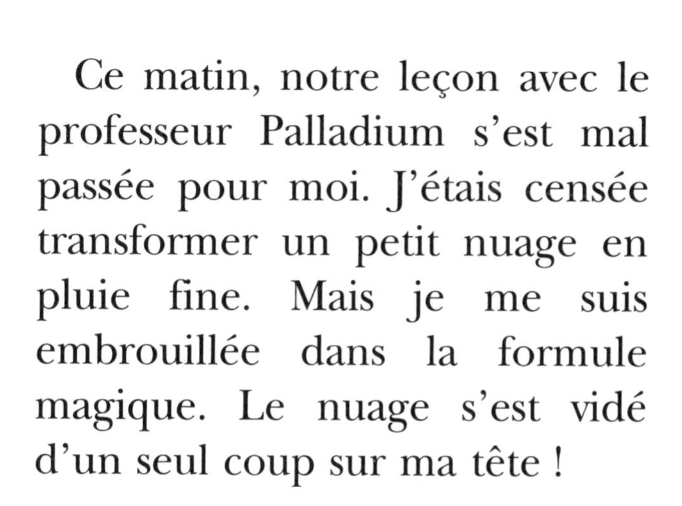

Ce matin, notre leçon avec le professeur Palladium s'est mal passée pour moi. J'étais censée transformer un petit nuage en pluie fine. Mais je me suis embrouillée dans la formule magique. Le nuage s'est vidé d'un seul coup sur ma tête !

Toute la classe a éclaté de rire. J'étais très vexée. Du coup, je me suis énervée contre le professeur, en lui disant que cet exercice était trop difficile ! C'était vraiment stupide de ma part.

D'ailleurs, j'ai entendu la minifée Amore dire à Lockette, ma connexion parfaite :

— Oh ! Ta fée va mal tourner !

Depuis, j'ai le cafard. Ma chère amie Flora s'en aperçoit tout de suite. Dans le parc de l'école, après les cours, elle me demande :

— Qu'est-ce qui ne va pas, Bloom ?

— Oh, rien de grave. C'est juste que je suis censée être une princesse. Mais je ne parviens pas du tout à me conduire comme telle !

Mon amie n'a pas le temps de me réconforter. Car deux motos volantes freinent devant nous !

Les pilotes soulèvent leur casque : il s'agit de mon amoureux, le prince Sky, et de son meilleur ami, Brandon.

— Salut Bloom ! dit Sky avec son grand sourire plein de charme.

D'un seul coup, mon moral est revenu ! Je lui demande :

— Ça y est ? Nous partons sur Eraklyon ? Tu vas me présenter à tes parents ?

Mon amoureux pousse un gros soupir.

— Hélas... Mes parents viennent de m'appeler. Ils veulent me voir en urgence avec Brandon. Il doit se passer quelque chose de grave sur notre planète !

— Tu accompagneras Sky une autre fois, Bloom, dit Brandon.

— Mais s'il se passe quelque chose de grave, la magie des fées peut vous aider, non ?

— Sur Eraklyon, dit Flora, il existe une fleur extraordinaire. Je serais tellement heureuse d'en voir une !

Sky semble embarrassé :

— C'est un endroit extrêmement dangereux. Le seigneur Yoshinoya et ses ninjas ne cessent de combattre le pouvoir royal, détenu par mes parents.

— Je t'en prie, Sky ! Je suis sûre que Flora et moi, on peut vous aider !

— Bon. D'accord, les filles. Montez, nous partons ! Direction : notre vaisseau spatial !

Depuis un moment, je remarque que nous sommes espionnées par Zing. Cette minifée espiègle adore nous suivre

partout, bien qu'elle ne soit la connexion parfaite d'aucune de mes amies !

Elle a lancé un filin magique en direction de la moto de Brandon. Et quand celle-ci a démarré, avec Flora à l'arrière, Zing s'est envolée à leur suite !

Chapitre 3

Une rencontre très royale

Vue de l'espace, la planète Eraklyon est encore plus belle que la Terre. Ses océans et ses forêts vierges couvrent une partie importante de sa surface.

Le vaisseau spatial des Spécialistes nous emporte Sky, Brandon, Flora, et moi, mais aussi les mini-fées Chatta, Lockette et Zing.

Nous atterrissons dans les jardins du palais royal, entre les statues, les bassins et les massifs de fleurs. Flora s'extasie :

— C'est magnifique !

— Oui, tempère Sky. Quand il n'y a pas de ninjas qui s'y cachent !

Annoncés par les gardes, nous entrons dans la vaste salle du trône. Le roi et la reine d'Eraklyon, les parents de Sky, nous y attendent.

Son père est un homme imposant, doté d'une incroyable barbe noire au dessin géométrique. Sa mère est une grande et belle femme, aux manières élégantes. Elle est rousse, comme moi, mais la ressemblance s'arrête là. Tandis que mes boucles jouent les rebelles, pas un cheveu ne dépasse de sa savante coiffure !

— La princesse Diaspro a été enlevée ! nous annonce le roi.

— Quoi ? s'étrangle Sky. Vous en êtes sûr ?

Le roi fait signe à un garde, qui s'approche et lui présente un riche bijou. Sky le reconnaît aussitôt :

— La broche de Diaspro !

— On l'a trouvée là où la princesse a été vue pour la dernière fois.

Le roi déplie le parchemin qu'il tient à la main :

— Nous avons aussi reçu une demande de rançon, signée Yoshinoya.

Sky et Brandon lisent la lettre. Dans un même élan, ils protestent :

— Cette rançon est trop élevée !

— Elle va ruiner le royaume et le peuple va mourir de faim !

— C'est vrai, dit le roi. Mais la princesse Diaspro est une gentille jeune fille, que nous ne pouvons pas abandonner. De plus, son père est l'un des nobles les plus importants du royaume.

La reine ajoute :

— Et depuis sa naissance, elle a été choisie pour être ta fiancée, Sky ! Ne l'oublie pas.

— Ce n'est pas ça qui importe, répond Sky. Aujourd'hui, il s'agit

d'une innocente en danger et je dois la sauver !

J'ai le cœur serré mais, avec beaucoup d'enthousiasme, j'interviens :

— Sky n'ira pas seul ! Brandon, Flora et moi sommes là

pour l'aider ! Ensemble, nous allons sauver votre princesse Diaspro !

La reine fronce les sourcils.

— Dans ce palais, mademoiselle, on ne prend la parole que si l'on y est invité.

Gloups ! J'ai fait une gaffe ! Une fois de plus, je me suis laissée emporter par mes sentiments, en oubliant les bonnes manières...

Chapitre 4

Une fleur magique

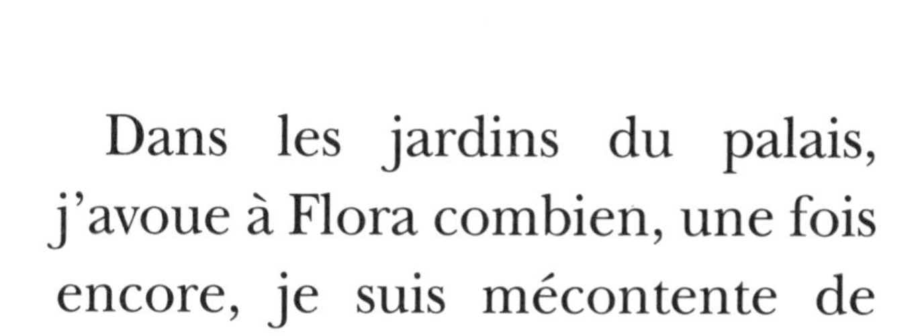

Dans les jardins du palais, j'avoue à Flora combien, une fois encore, je suis mécontente de moi.

— J'ai tout gâché ! Maintenant, les parents de Sky vont dire à leur fils que je ne suis pas un bon parti pour lui. Ah ! Pourquoi est-ce que je n'arrive pas à me conduire comme une vraie princesse ?

— Mais Bloom ! Tu sais que tu en es une depuis un an seulement ! Tu n'as pas été élevée comme une princesse, c'est normal que tu trouves difficile de te conduire comme elles...

Soudain, Flora s'arrête net.

— Oh ! Une *Portas arboral* !

Je regarde par terre, dans la direction de son doigt. Mais à cet endroit, la pelouse est complètement vide !

— Où ça ?

— Elle vient de disparaître.

— Ah bon ?

— Oui, c'est normal, c'est une plante qui se déplace grâce à la force de sa pensée.

— Vraiment ! Je ne savais pas que les fleurs étaient capables de penser si fort !

— Voyons... Où est-elle passée ? J'en ai besoin pour une expérience...

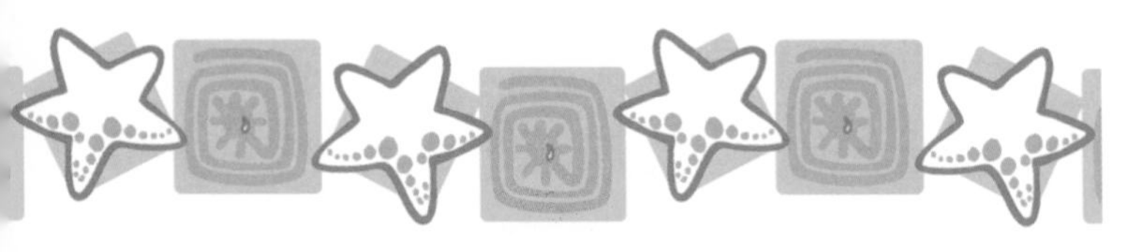

— Nous pourrions utiliser la formule magique que nous a enseignée le professeur Avalon. Tu sais, la formule de repérage.

— Bonne idée, Bloom. À condition de posséder un élément qui appartienne à ce qu'on cherche. Vois-tu un pétale que la fleur aurait laissé ?

Nous regardons attentivement autour de nous. Aucun pétale en vue. Mais j'aperçois, un peu plus loin dans le sous-bois, la fleur elle-même, une sorte de grosse pivoine rose avec de longs pistils !

Flora se précipite. Mais lorsqu'elle s'approche, la fleur disparaît aussitôt !

Sky et Brandon nous rejoignent, suivis de Zing, qui s'est transformée en araignée pour mieux les espionner.

— Attention ! crie soudain Sky. Voilà des ninjas !

En effet, partout autour de nous, des guerriers s'avancent, leurs lances à la main. Ils sont une douzaine, mais Flora et moi avons nos pouvoirs magiques. Et s'il y a un domaine où nos amis les Spécialistes échouent rarement, c'est bien la bagarre !

En quelques passes d'armes acharnées, nous réussissons à mettre en fuite les ninjas et à garder un prisonnier !

— C'est vous qui avez enlevé Diaspro ? l'interroge Sky.

— Pourquoi on aurait fait ça ?

— Alors, si ce n'est pas vous, qui est-ce ?

Le ninja hésite.

— Réponds ! ordonne Sky.

— Euh... Monseigneur Yoshinoya a embauché récemment

une équipe très spéciale. Nous les surnommons les ninjas faucons. Mais leur véritable nom est gardé secret.

Quelque chose traverse l'air en sifflant et vient se planter à mes pieds. Notre prisonnier en profite pour s'enfuir.

— Ah ! sursaute Brandon. Qu'est-ce que c'est ?

Sky ramasse avec précaution une longue plume d'oiseau.

— Voilà une arme que je n'avais encore jamais vue sur Eraklyon... Elle ne semble pas bien dangereuse...

— Détrompe-toi. Certains combattants trempent l'extrémité de ces plumes dans un poison très dangereux. On veut nous faire peur..., dis-je.

Chapitre 5

D'étranges justiciers

Mais où chercher Diaspro, si nous ne savons même pas qui sont ses geôliers ? Je propose :

— Utilisons la formule de localisation !

— Grâce à la broche ! précise Flora.

Nous expliquons aux garçons ce que nous a appris le professeur Avalon. En utilisant une formule magique appropriée, cet objet, qui appartient à la princesse, devrait nous guider jusqu'à elle !

— Parfait, dit Sky. Ne perdons pas de temps. Mon père doit remettre la rançon demain matin !

Flora utilise la formule. La broche se met à frémir, puis s'échappe vers la forêt.

— C'est par là !

— Vite ! Ne la perdons pas de vue !

Après une course folle entre les arbres, nous reprenons notre souffle, quand une plume vient se ficher tout près de nous, dans un tronc d'arbre. Pourtant, la forêt semble calme...

— Elle doit provenir d'un

ninja isolé, dit Brandon avec assurance.

À cet instant, une nuée de plumes s'abat autour de nous. Sortant leurs épées, Sky et Brandon réussissent à écarter de nous tout projectile trop bien dirigé. Pendant ce temps, je fais appel à l'un de mes pouvoirs les plus impressionnants :

— Sphère de feu !

Une voûte enflammée nous protège bientôt tous, les garçons, Flora, les mini-fées et moi.

Du coup, nos assaillants sortent de leur cachette. Nous

découvrons d'étranges personnages en tenue de combat : un grand jeune homme, un gamin décoiffé, une fille à la bouille ronde, et un énorme chien, incroyablement velu !

— Vous allez voir ! crie Brandon. On va vous donner une leçon dont vous vous souviendrez !

— Comment oses-tu ? s'indigne le grand jeune homme. C'est nous qui répondons présent partout où il y a de l'injustice ! Soyez plutôt terrorisés, bande de vauriens !

Si je comprends bien, à ses yeux, c'est lui le gentil, et nous les méchants ! Je demande :

— Êtes-vous au service de Yoshinoya ?

— Exactement ! Nous sommes ses nouveaux ninjas faucons !

Bon, puisqu'il le dit... Mais ce n'était pas l'idée que je me faisais d'une équipe d'élite ! Ils me donnent trop envie de rire !

— Attaque rouge à lèvres ! lance la fille.

J'avais oublié qu'il ne faut jamais sous-estimer un ennemi ! En quelques minutes, Brandon s'effondre, suivi de Flora, tandis que Sky est ligoté.

Seule contre quatre, je tente de résister. Mais une attaque inattendue de poudre de fond de teint me fait éternuer et m'empêche de prononcer des formules magiques. À mon tour, je m'écroule, prisonnière, au milieu de mes amis inanimés !

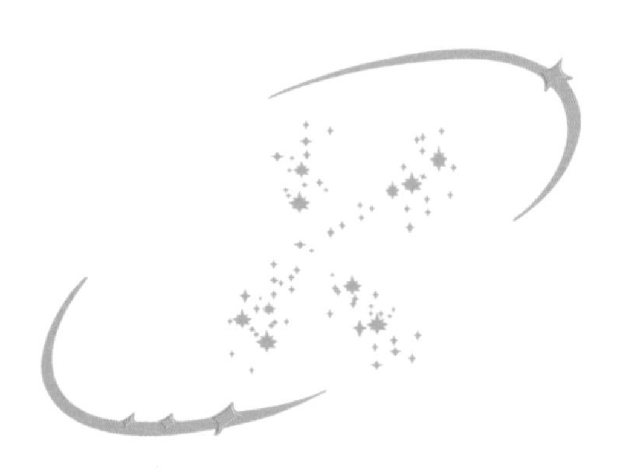

Chapitre 6

Merci les mini-fées !

Mes amis et moi reprenons conscience au fond d'un cachot sombre, que n'éclaire qu'un soupirail hors d'atteinte. Et de toute façon, nous sommes tous ficelés comme des saucissons !

— Je reconnais la prison de

Yoshinoya ! remarque Brandon. Ce n'est malheureusement pas la première fois qu'on m'y enferme...

— Nous étions sans doute tout près de la cachette de Diaspro ! dit Flora. Voilà pourquoi ces étranges ninjas nous ont attaqués.

J'interviens :

— Étranges, mais quand même trop forts pour nous !

— Je ne comprends pas, ajoute Flora, comment peuvent-ils se prendre pour des justiciers, alors qu'ils enlèvent des gens ?

Bien que ligoté, Sky relève la tête :

— Exact, Flora ! Tu viens de me donner une idée !

Pendant que nous parlons, nos mini-fées Chatta et Lockette, accompagnées de Zing, sont

entrées par le soupirail. Elles nous libèrent de nos liens !

Ensuite, c'est un jeu d'enfant pour Flora et moi de voler au-dehors par la petite ouverture, puis de délivrer Sky et Brandon.

— Pas trop difficile de s'évader de la prison de Yoshinoya !

— Hum... Sans les mini-fées, je ne sais pas comment nous aurions fait.

Maintenant, comment retrouver Diaspro ? Il fait nuit et nous sommes isolés au milieu de la jungle. Et nous n'avons même plus la broche pour nous guider...

Les garçons et moi commençons à débattre de l'utilité des formules magiques que nous connaissons. Mais Flora sort de sa poche... une *Portas arboral* !

— J'ai peut-être quelque chose de plus efficace...

Je suis stupéfaite :

— Comment as-tu réussi à la cueillir, Flora ?

— J'ai eu de la chance. Ces plantes adorent voyager : c'est leur point faible. Je suis restée immobile assez longtemps pour qu'elle apparaisse à mes pieds. Je n'ai eu qu'à me baisser pour l'attraper !

Avec précaution, Flora dépose la fleur sur un socle en verre magique.

— Avec cette fleur et une formule magique, je peux permettre à deux personnes d'échanger leur place.

— Formidable ! s'exclame Brandon. Alors, pour délivrer Diaspro, il suffit que l'un de nous prenne sa place !

— Exactement.

— Moi ! dit aussitôt Sky.

Flora fait la moue.

— Pour que ça marche, il faut deux personnes de la même taille et du même poids.

— Alors, nous n'avons pas le choix, dis-je. Cela ne peut être que moi !

— C'est super dangereux, Bloom ! s'insurge Lockette, ma connexion parfaite.

Sky réagit presque en même temps :

— Pas question ! Nous allons trouver un autre moyen.

— Mais nous n'avons plus le temps ! Tu vois, l'aube ne va pas tarder à se lever...

Tendrement, Sky me regarde au fond des yeux :

— Bloom, ce n'est même pas quelqu'un que tu aimes...

— C'est vrai. Mais souviens-toi de ce que tu as dit à tes parents !

Qu'importe mes sentiments. Il s'agit d'une innocente à sauver...

Sky n'ose plus protester. Il ajoute simplement :

— Tu devras tenir le temps que je mette mon plan à exécution.

— D'accord.

Je prends le socle de verre avec la fleur entre mes mains, et Flora prononce la formule magique.

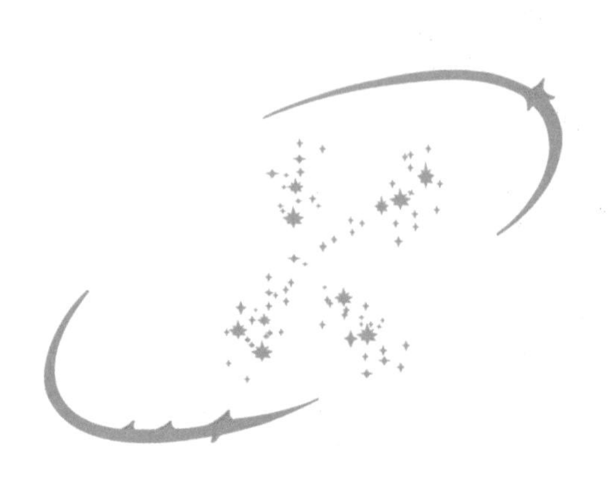

Chapitre 7

Ce que Bloom ne sait pas

Dans le sinistre cachot où elle est enfermée, la blonde Diaspro tente de garder la dignité et le maintien d'une princesse. Pas facile, puisqu'elle est attachée par des chaînes, et que l'énorme chien poilu ne cesse de lui donner des coups de langue sur le visage !

Les nouveaux ninjas d'élite de Yoshinoya entrent dans le cachot. Leur chef, Ben, se dirige vers Diaspro :

— Tu n'as plus de raison d'avoir peur du prince Sky ! Nous l'avons mis hors d'état de nuire. Il ne pourra plus te forcer à l'épouser !

— Mais... mais... bafouille la princesse stupéfaite. Ce n'est pas du tout ça ! Au contraire, c'est moi qui veux l'épouser et lui qui ne veut plus...

Mais Ben ne l'écoute pas. Il est trop occupé à faire le malin. Voilà pourquoi il comprend toujours tout de travers !

— La justice a triomphé du prince Sky !

Diaspro hausse les épaules avec

mépris. Le gamin décoiffé s'approche tout près d'elle, l'air menaçant :

— Attends... Je vais m'occuper de la calmer, moi.

— D'accord, Jimpy, dit Ben. Mais vas-y doucement quand même...

Le gamin semble aussi idiot que son chef, mais beaucoup plus cruel. Diaspro est terrifiée. Bientôt, elle se retrouve en tête à tête avec Jimpy. Il sort un mini-ordinateur relié à un casque.

La princesse tente de l'amadouer :

— Les justiciers ne sont pas des gens méchants, d'habitude !

Tranquillement, il allume son appareil.

— Oui, mais moi, j'ai eu une enfance difficile, avec des parents qui ne m'aimaient pas. Alors je me venge sur les autres.

La pauvre princesse est indignée :

— Je n'y suis pour rien, si tes parents ne t'aimaient pas !

Jimpy saisit le casque et l'enfile

de force sur la tête de Diaspro. Puis il met en marche un logiciel de torture électronique...

La princesse serre les dents, prête à souffrir dignement. Mais soudain, elle se retrouve au milieu de la jungle, entre le prince Sky et ses amis !

L'échange a marché ! Grâce à Flora et au pouvoir de la fleur *Portas arboral.*

— Pourvu que Bloom s'en sorte ! s'exclame Sky.

— Elle a ses pouvoirs magiques, le rassure Flora.

Comprenant qu'elle doit sa

délivrance à sa rivale, Diaspro se sent mal :

— C'est justement Bloom qui m'a sauvée ? Quelle malchance !

La mini-fée Lockette s'en indigne :

— Ce qui compte pour toi, c'est d'être sauvée, non ?

Diaspro gémit à voix basse :

— Bien sûr, mais pourquoi faut-il que Sky soit amoureux d'elle ? Moi, j'ai passé tout mon temps à étudier le protocole, la vie à la cour, les bonnes manières...

— Je comprends, dit gentiment Flora.

— Si j'ai travaillé dur, c'est parce qu'on m'avait promis d'épouser un prince...

— Il ne faut pas vous décourager ! dit Chatta. Des princes, il y en a des tas à Magix !

Chapitre 8

Une princesse courageuse

L'échange a marché ! Je me retrouve prisonnière à la place de Diaspro, qui doit maintenant être dehors, en compagnie de mes amis. La tête que fait Jimpy ! C'est vraiment trop drôle !

Surtout que je me dépêche de

faire appel à mes pouvoirs magiques. Ce qui, par l'intermédiaire du casque, provoque un court-circuit dans l'ordinateur ! Ah, ah ! Je vais être beaucoup moins facile à torturer que cette princesse, moi !

Préoccupé par sa machine qu'il tente de réparer, Jimpy ne fait plus attention à moi. À leur retour, les autres ninjas faucons sont très en colère de me trouver à la place de Diaspro. Que va dire Yoshinoya ? Il va être furieux.

— Partons à sa recherche ! décide Ben.

— Emmenons cette fille-là comme otage ! propose la guerrière coquette.

Ah !... Ça fait du bien de retrouver l'air du dehors, même en étant ligotée !

La confrontation des justiciers avec mes amis a lieu bientôt, dans la jungle. Les mini-fées se cachent, comme chaque fois qu'il y a une bagarre.

— Il est temps de vous mettre

hors d'état de nuire, une bonne fois pour toutes ! s'écrie Ben, le chef.

Vraiment pas très intelligent, ce garçon. Il continue de croire que les méchants de l'histoire, c'est nous !

— Attendez ! dit Sky avec autorité. Un messager a quelque chose pour vous.

Et voilà effectivement Zing, tout essoufflée d'avoir volé à tire-d'aile. Elle lance un parchemin à Sky, qui le tend à son tour à Ben.

— Qu'y a-t-il, là-dedans ? Des secrets ?

Je ris intérieurement, car j'ai enfin compris le plan de Sky !

Curieux, les justiciers se rapprochent de leur chef et découvrent la lettre par-dessus son épaule.

— Avez-vous remarqué le

cachet de Yoshinoya ? leur demande aimablement Sky.

Ils sont tellement stupides que je mets les points sur les i :

— Cet homme a fait de vous des ravisseurs... Uniquement pour de l'argent ! C'est Yoshinoya, le méchant de cette histoire. Nous, nous sommes les gentils qui avons volé au secours de la pauvre princesse prisonnière.

Les yeux de Ben finissent par s'éclairer. J'insiste, avec une certaine diplomatie :

— On est tous du même côté, maintenant !

— Du côté de la justice ! s'écrie Ben.

— C'est ça.

Ben s'enthousiasme :

— Nous sommes là pour tirer la pauvre Diaspro des griffes de l'horrible Yoshinoya !

Il a compris. Ouf ! Pas facile d'avoir affaire à des idiots pareils !

Tous ensemble, les ninjas faucons, Diaspro et nous, prenons le chemin du palais royal d'Eraklyon. Une fois dans les jardins, je demande aux étranges justiciers :

— Attendez-nous ici !

Dans la salle du trône, mes amis et moi sommes chaleureusement accueillis par les parents de Sky. Quel soulagement pour eux de nous voir revenir tous sains et saufs, et en compagnie de Diaspro !

Sky leur raconte la succession d'événements de cette nuit. Sa mère l'écoute avec attention :

— Ce qu'a fait Bloom était très courageux ! Son attitude a été digne d'une vraie princesse.

Je n'en crois pas mes oreilles !

— Mais qu'allons-nous faire de ces curieux justiciers ? s'interroge le roi. Ils sont tellement stupides qu'ils peuvent facilement être à nouveau manipulés par Yoshinoya.

J'ai une idée ! Mais cette fois, je n'oublie pas de me conduire en vraie princesse. Je toussote discrètement.

— Hum... Si vous me permettez, Votre Altesse, je voudrais vous soumettre une suggestion.

— Allez-y, Bloom.

Tout à fait satisfait de mon

idée, le roi me donne son accord.

Sky et moi sortons dans les jardins. Je fais semblant de discuter avec mon amoureux, comme si je venais d'apprendre une mauvaise nouvelle :

— Quel drame pour l'humanité ! La Terre est envahie de personnages très dangereux !

Au mot « dangereux », Ben sursaute. Il rassemble ses acolytes en criant :

— La Terre a besoin de nous ! Justiciers de l'espace, suivez-moi !

Et sans attendre plus d'explications, ils disparaissent ! Sky et moi éclatons de rire. Puis mon amoureux me prend tendrement par les épaules :

— Bloom, tu es merveilleuse ! Et en même temps, tu es pleine d'intelligence et de courage ! Quand il le faut, tu sais te conduire en vraie princesse.

FIN

Quel nouveau plan maléfique
les Winx devront-elles déjouer ?
Pour le savoir,
regarde vite la page suivante !

Bloom et ses amies sont prêtes
pour de nouvelles aventures !

Dans le 12e tome de WinxClub,
Que la fête continue !

Musa se prépare à vivre un événement exceptionnel. La directrice de l'université des fées, Mme Faragonda, lui propose de faire son premier grand concert ! La fée de la musique s'y prépare avec beaucoup d'énergie et d'enthousiasme... Mais son père est très fâché que sa fille veuille poursuivre une carrière d'artiste, car cette destinée a déjà conduit sa mère à une mort prématurée... Heureusement, Musa peut compter sur les Winx ainsi que sur son ami Riven.

Les as-tu tous lus ?

SAISON I

1. Les pouvoirs de Bloom

2. Bienvenue à Magix

3. L'université des fées

4. La voix de la nature

5. La Tour Nuage

6. Le Rallye de la Rose

SAISON II

7. Les mini-fées

8. Le mariage de Brandon

9. L'étrange Avalon

10. À la poursuite du Codex

Table

« Pour l'éditeur, le principe est d'utiliser des papiers composés de fibres naturelles, renouvelables, recyclables et fabriquées à partir de bois issus de forêts qui adoptent un système d'aménagement durable. En outre, l'éditeur attend de ses fournisseurs de papier qu'ils s'inscrivent dans une démarche de certification environnementale reconnue. »

Composition **Nord Compo** – Villeneuve d'Ascq

Imprimé en France par Jean-Lamour - Groupe Qualibris
Dépôt légal : avril 2009
20.20.1231.8/05 – ISBN 978-2-01-201231-8
Loi n°49-956 du 16 juillet 1949
sur les publications destinées à la jeunesse

« Pour l'éditeur, le principe est d'utiliser des papiers composés de fibres naturelles, renouvelables, recyclables et fabriquées à partir de bois issus de forêts qui adoptent un système d'aménagement durable. En outre, l'éditeur attend de ses fournisseurs de papier qu'ils s'inscrivent dans une démarche de certification environnementale reconnue. »

Composition **Nord Compo** – Villeneuve d'Ascq

Imprimé en France par Jean-Lamour - Groupe Qualibris
Dépôt légal : avril 2009
20.20.1231.8/05 – ISBN 978-2-01-201231-8
Loi n°49-956 du 16 juillet 1949
sur les publications destinées à la jeunesse